L'imagerie des animaux

Conception
Émilie BEAUMONT

Images
Lindsey SELLEY

FLEURUS
ENFANTS

ÉDITIONS FLEURUS, 11, rue Duguay-Trouin 75006 PARIS

La poule couve ses œufs pour avoir des poussins.

Pour sortir, le poussin casse l'œuf avec son bec.

une poule

un poussin

Dès que le soleil se lève, le coq chante et réveille la ferme.

Le coq, la poule et le poussin dorment dans le poulailler.

un coq

Maman cane et ses petits
aiment se promener sur l'eau.

Les canetons sont très habiles
pour déterrer les vers de terre.

un canard

une cane

des canetons

8

Les oies sauvages partent vers les pays chauds dès la fin de l'été.

Dans certaines régions, on gave les oies pour obtenir du foie gras.

un jars

une oie

un oison

A la ferme, la maison des lapins s'appelle un clapier.

Les lapins adorent les carottes et les feuilles de salade.

un lapin

des lapereaux

Avec sa belle queue,
le dindon peut « faire la roue ».

Quand le dindon crie,
il fait des glouglous.

un dindon

un dindonneau

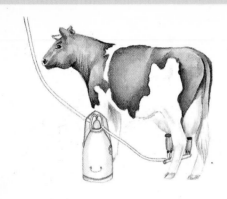

De nos jours, on traie les vaches avec une trayeuse électrique.

Avec le lait, on fabrique des fromages, des yaourts, du beurre.

une vache

un veau

La maison des vaches, des veaux et des taureaux s'appelle l'étable.

Certains taureaux sont élevés pour participer à des corridas.

un taureau

Sur la piste du cirque, le cheval obéit aux ordres du dresseur.

Ce cheval participe, avec son cavalier, à un concours hippique.

un cheval

un poulain

L'âne est très robuste, il peut porter de lourdes charges.

L'âne est têtu : s'il ne veut plus avancer, c'est difficile de le remuer.

un âne

un ânon

15

La maman des petits cochons s'appelle une truie.

Les cochons adorent patauger dans la boue.

un cochon

un porcelet

Quand la chèvre pousse son cri, on dit qu'elle béguète.

Avec le lait de chèvre, on peut faire d'excellents fromages.

une chèvre

un bouc

un biquet

Souvent, quand un mouton se sauve, tous les autres le suivent.

Une fois par an, on tond les moutons pour récupérer la laine.

une brebis

un bélier

un agneau

Le sanglier part à la recherche de sa nourriture durant la nuit.

Le sanglier a de grandes dents qui lui servent de défenses.

un sanglier

un marcassin

ANIMAUX DE LA FERME

Pendant l'hiver, le pelage du loup devient plus clair.

Le loup sort surtout la nuit, il pousse des hurlements terribles.

un loup

un louveteau

La maison où le renard vit avec ses petits s'appelle un terrier.

A la campagne, le renard rôde souvent autour des poulaillers.

un renard

des renardeaux

A la naissance, le jeune faon
a son pelage tacheté de blanc.

A un an, les bois du faon
commencent à pousser.

une biche

un faon

Chaque année, en hiver, les bois tombent et repoussent aussitôt.

Les cerfs se battent souvent pour défendre leur territoire.

un cerf

L'écureuil construit le nid pour ses petits dans le creux des arbres.

L'écureuil adore grignoter des noix et des noisettes.

un écureuil

La belette se nourrit parfois avec les œufs des oiseaux.

La belette chasse souvent les taupes, les rats et les souris.

une belette

27

Le putois est un petit animal qui sent très mauvais.

Le putois fait souvent de gros dégâts dans les poulaillers.

un putois

Le blaireau dort le jour, au fond de son terrier, et chasse la nuit.

Le blaireau aime attraper les grenouilles au bord de la rivière.

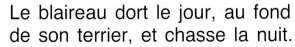

un blaireau

L'ours déniche le miel
dans le creux des arbres.

L'ours est un grand pêcheur,
il attrape facilement les poissons.

un ours

un ourson

Le panda se nourrit surtout
de pousses de bambou.

Le panda est un vrai acrobate,
il grimpe très bien aux arbres.

un panda et son petit

ANIMAUX DE LA FORÊT

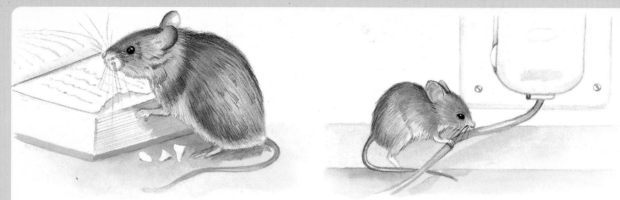

Les petites souris ne mangent pas que du gruyère et du pain,
elles grignotent aussi le papier, le plastique, le bois, etc.

une souris

un rat

Le campagnol accumule des réserves dans son terrier.

Le campagnol creuse des galeries autour de son terrier.

un campagnol

La musaraigne chasse les insectes.

La musaraigne dort dans les trous de murs ou de vieux troncs d'arbres.

une musaraigne

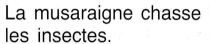

Quand il se sent en danger,
le hérisson se met en boule.

Le hérisson n'a pas peur de
s'attaquer aux vipères.

un hérisson

La maison du lapin de garenne s'appelle un terrier.

Les lapins font des dégâts dans les champs de céréales.

un lapin de garenne

La maison du lièvre
s'appelle un gîte.

Grâce à ses grandes pattes
arrière, le lièvre court très vite.

un lièvre

La taupe est presque aveugle. Elle creuse des galeries avec ses pattes de devant et rejette la terre en formant des taupinières.

une taupe

Le lézard aime se chauffer au soleil sur de vieilles pierres.

Le lézard peut perdre un bout de sa queue : elle repoussera !

un lézard

un ver de terre

Quand la pluie tombe,
l'escargot sort de sa coquille.

L'escargot dépose ses petits
œufs blancs dans la terre.

une limace

un escargot

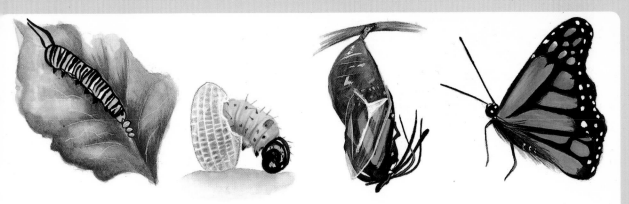

La chenille va se transformer petit à petit pour devenir un beau papillon.

un papillon

ANIMAUX DES CHAMPS

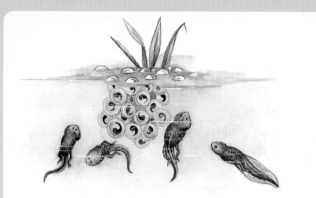

Les bébés grenouilles s'appellent des têtards.

Grâce à ses grandes pattes arrière, la grenouille se déplace vite en sautant.

une grenouille

Le jour, la chauve-souris dort, pendue par les pattes.

La chauve-souris attrape les insectes en plein vol.

une chauve-souris

Le castor est capable d'abattre un arbre en rongeant son tronc.

Le castor construit des barrages avec des branches et de la boue.

un castor

Le raton laveur lave ses aliments avant de les avaler.

Le raton laveur s'amuse à grimper dans les arbres.

un raton laveur

La loutre nage souvent sur le dos pour se reposer.

La loutre plonge dans l'eau pour attraper les poissons.

une loutre

Les canards sauvages partent vers les pays chauds à la fin de l'été.

Les canards se cachent au milieu des roseaux.

un canard
sauvage

Le héron est un oiseau appelé échassier, avec de grandes pattes, un long cou et un long bec. Il vit au bord de l'eau.

un héron

La fauvette construit son nid dans les roseaux.

Le martin-pêcheur plonge très vite pour attraper les poissons.

une fauvette

un martin-pêcheur

ANIMAUX DU BORD DE L'EAU

En liberté, le faisan vit dans les champs et dans les buissons.

A la ferme, le faisan est élevé avec les poules et les canards.

une poule faisane

un faisan doré

Les petits de la perdrix
adorent attraper des fourmis.

Les perdrix se nourrissent
surtout d'herbe verte.

une perdrix

Le pigeon dort dans le pigeonnier.
Il pousse des roucoulements.

Le pigeon voyageur retrouve
son nid quel que soit
le lieu où on le lâche.

un pigeon

Les mouettes volent autour des bateaux qui rentrent de la pêche pour essayer d'attraper quelques poissons.

une mouette

Le rouge-gorge construit son nid dans les buissons.

Les oiseaux se nourrissent surtout d'insectes.

un coucou

un rouge-gorge

Le pic-vert tape avec son bec sur le tronc pour faire sortir les insectes.

La mésange fait son nid dans les creux des vieux arbres.

un pic-vert

une mésange

Dès le lever du jour,
le merle se met à siffler.

Le corbeau adore picorer les graines
fraîchement semées dans les champs.

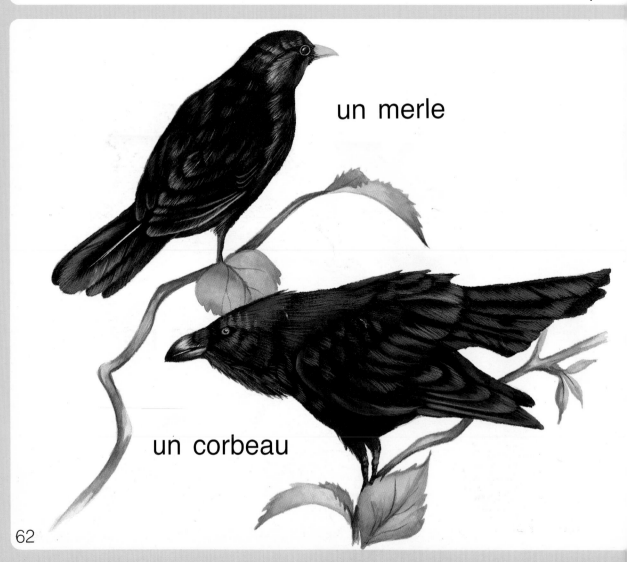

un merle

un corbeau

La pie vole souvent les œufs
dans les nids des autres oiseaux.

La pie aime tout ce qui brille,
elle peut dérober un bijou.

une pie

Les moineaux ne vivent pas tout
seuls, ils sont toujours en groupe.

Le moineau adore manger
les grains de raisin.

un moineau

L'hirondelle construit souvent son nid en dessous des toits.

A la fin de l'été, les hirondelles se rassemblent pour partir vers les pays chauds.

une hirondelle

En général, les perroquets vivent très vieux. Certains d'entre eux sont capables de répéter des mots et des sons.

des perroquets

La perruche est de la même famille que les perroquets.

En cage, les canaris se nourrissent surtout de graines.

une perruche

un canari

L'aigle fait son nid dans les rochers des hautes montagnes.

L'aigle est un bon chasseur, il attrape ses proies avec ses griffes.

un aigle

Le hibou dort le jour et chasse la nuit.

La chouette attrape souvent des petites souris.

une chouette

Le petit trouve dans le bec de sa mère les poissons pour se nourrir.

Le pélican possède de grandes ailes très robustes.

un pélican

Trop lourd, le flamant rose doit courir un peu avant de s'envoler.

Le flamant rose se nourrit surtout d'algues et de petits crustacés.

un flamant rose

La cigogne construit son nid en haut des cheminées.

A la fin de l'été, les cigognes partent vers les pays chauds.

une cigogne

Le cygne est un bel oiseau, mais il n'a pas bon caractère.

Le cygne construit souvent son nid au bord des lacs et des étangs.

un cygne

Dès leur naissance, la mère transporte ses petits dans l'eau.

Le crocodile est un très bon nageur, il glisse sans faire de bruit.

un crocodile

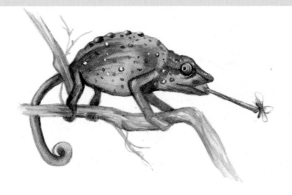

Les petits se promènent
accrochés sur leur mère.

Le caméléon attrape ses proies
avec sa langue qu'il déroule vite.

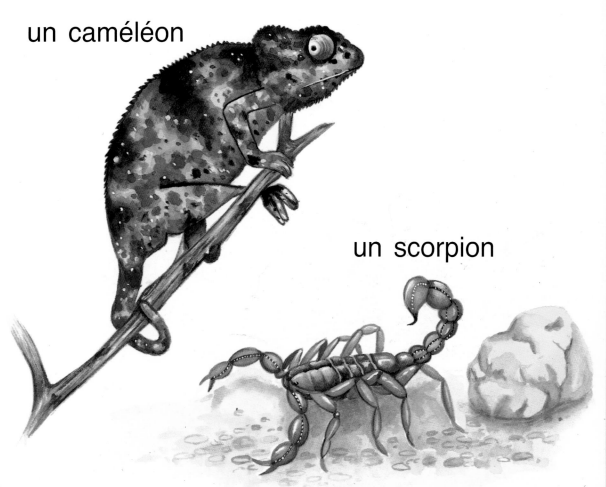

un caméléon

un scorpion

Le jour, l'hippopotame vit dans l'eau pour lutter contre la chaleur.

La nuit, il se promène à la recherche de quelques herbes.

un hippopotame

Ces oiseaux vivent sur le rhinocéros, ils enlèvent les parasites.

Les rhinocéros ont une ou deux cornes.

un rhinocéros

La gazelle se nourrit surtout avec les feuilles des arbres.

La gazelle peut courir très vite pour fuir un danger.

une gazelle

Grâce à ses rayures, le zèbre se camoufle plus facilement.

Le zèbre, qui ressemble beaucoup au cheval, se nourrit d'herbe.

un zèbre

Le dromadaire transporte des marchandises à travers le désert.

Le dromadaire est résistant, il peut courir un jour sans s'arrêter.

un dromadaire

Le chameau a deux grosses bosses de graisse.

Le chameau doit se baisser pour permettre à son cavalier de monter.

un chameau

Sur terre, l'éléphant est le plus gros des animaux. Il peut vivre cent ans. Il est souvent chassé pour l'ivoire de ses défenses.

un éléphant

La girafe doit écarter ses pattes de devant pour boire.

Grâce à son long cou, la girafe mange les feuilles les plus hautes.

une girafe

L'orang-outan est un grand singe de la famille des gorilles.

L'orang-outan, comme le gorille, mange des feuilles et des fruits.

un gorille

Le gorille est le plus grand et le plus fort de tous les singes.

On peut apprivoiser un chimpanzé quand il est petit.

Les singes hurleurs poussent des cris que l'on entend de très loin.

un chimpanzé

un singe
hurleur

Le fennec, ou petit renard des sables, vit dans le désert.

C'est la nuit que le chacal part à la recherche de sa nourriture.

un chacal

un fennec

Le tamanoir, appelé aussi grand fourmilier, se nourrit surtout de fourmis qu'il attrape avec sa grande langue collante.

un tamanoir

Les gnous vivent en troupeau. Ils sont capables de marcher des jours et des jours pour trouver de l'eau et des pâturages.

un gnou

La lionne peut garder ses petits, mais aussi ceux des autres.

La lionne déplace ses petits en les portant dans sa gueule.

un lion

une lionne

La panthère transporte souvent
ses proies dans le haut des arbres.

La panthère noire est plus
rare que les autres.

une panthère

Le guépard est un des animaux
qui courent le plus vite.

Le tigre est un terrible chasseur.
Il saute sur ses proies.

un guépard

un tigre

Le kangourou possède une poche dans lequel vit son petit.

Le kangourou se déplace en faisant des bonds.

un kangourou

Le koala peut s'endormir agrippé à un tronc d'arbre.

Le koala ne boit jamais. Il se désaltère avec des feuilles d'eucalyptus.

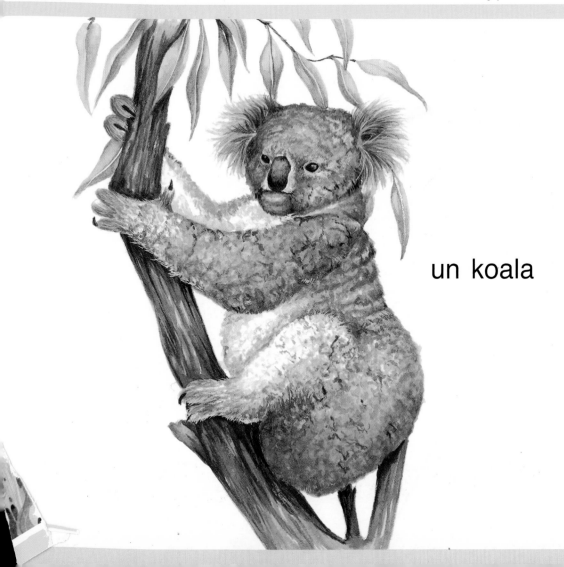

un koala

ANIMAUX DES PAYS CHAUDS

Le boa est très puissant, il tue ses proies en les étouffant.

Le serpent change de peau quand elle devient trop petite.

un boa

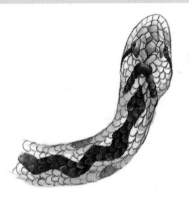

La vipère est reconnaissable par le V qu'elle a sur la tête.

La couleuvre n'est pas dangereuse, elle vit dans les endroits humides.

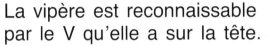

une couleuvre

une vipère

Le chamois vit dans les hautes montagnes.

Le chamois est très agile. Il saute de rocher en rocher sans difficulté.

un chamois

La marmotte vit dans un terrier.
L'hiver, elle le bouche et s'endort.

En hiver, le lièvre des
montagnes devient tout blanc.

une marmotte

un lièvre (en été)

On élève les abeilles dans des ruches pour faire du miel.

Les abeilles butinent les fleurs pour récolter le pollen.

une abeille

une guêpe

La maison des fourmis s'appelle la fourmilière.

Les fourmis capturent des insectes et des petites chenilles qu'elles transportent dans la fourmilière.

une fourmi

une mouche

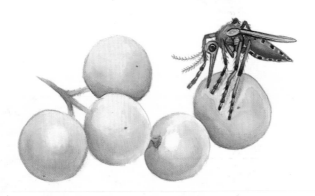

un moustique

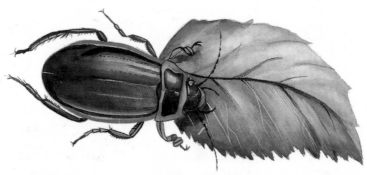

un scarabée

un hanneton

un cafard

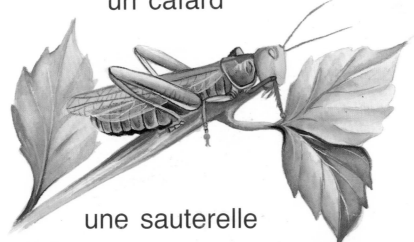

une sauterelle

La coccinelle, ou bête à bon Dieu, se nourrit surtout de pucerons.

La libellule est l'insecte qui vole le plus vite.

une libellule

une coccinelle

L'araignée tisse sa toile pour capturer ses proies.

La tarentule est une grosse araignée capable de capturer des petites souris.

une araignée

POISSONS DE RIVIÈRE

un gardon

une carpe

une anguille

une truite

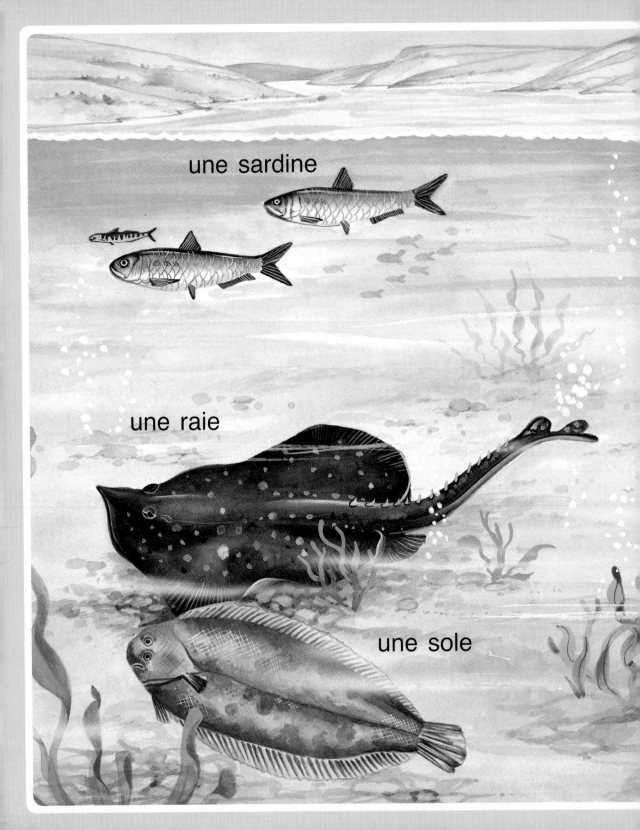

une sardine

une raie

une sole

POISSONS DE MER

un maquereau

un colin

un saumon

Au début de sa vie, le baleineau se nourrit du lait de sa mère.

Quand elle est en surface, la baleine rejette de l'air et de l'eau.

une baleine

Le requin est un poisson
féroce. Sa mâchoire a
des dents très coupantes.

Le dauphin se laisse facilement
apprivoiser par l'homme.

un dauphin

un requin

un crabe   un bernard-l'ermite

une araignée
de mer   une pieuvre

un homard

une langouste

On fait des bijoux avec les perles trouvées dans certaines huîtres.

La coquille Saint-Jacques s'ouvre et se ferme pour se déplacer.

une huître

une coque

une moule

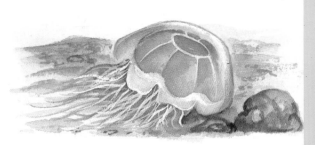

L'étoile de mer a cinq bras. Si elle en perd un, il repousse.

Attention aux méduses ! Certaines sont dangereuses.

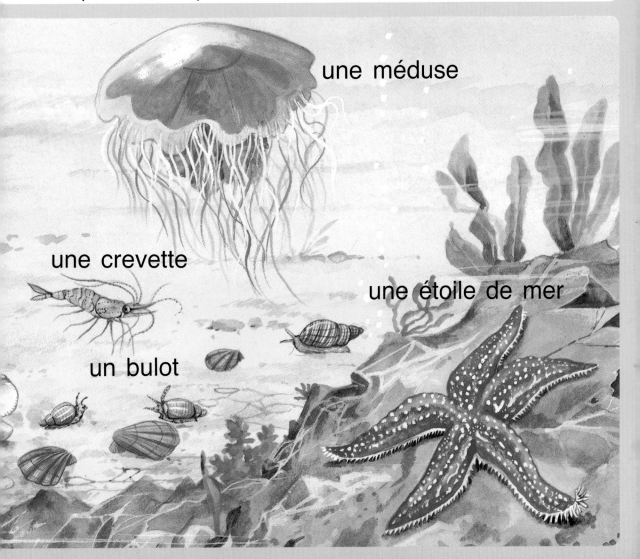

une méduse

une crevette

une étoile de mer

un bulot

ANIMAUX DE LA BANQUISE

un morse

un pingouin

un ours polaire

une otarie

un phoque

L'ours blanc chasse les phoques sur la banquise.

L'ours, malgré sa grande taille, est un nageur très rapide.

un ours polaire

Grâce à ses bois, le renne fouille le sol pour trouver sa nourriture.

Le renne était souvent utilisé pour tirer les traîneaux.

un renne

En dehors des chats qui passent leur vie avec l'homme, il existe des chats sauvages qui vivent dans les bois.

un chat

un chat siamois

un chat persan

un chat abyssin

un chat domestique

Les chiens de berger sont dressés pour garder les moutons.

A la campagne, les chiens dorment souvent dans une niche.

un berger allemand

un chiot

un boxer

un fox-terrier

un cocker

un chien bâtard

123

une tortue

un poisson rouge

un cochon d'Inde

un hamster

ANIMAUX DISPARUS

un mammouth

des dinosaures

un stégosaure

ANIMAUX DISPARUS

un dimorphodon

un diplodocus

un tyrannosaure

129

LISTE ALPHABÉTIQUE